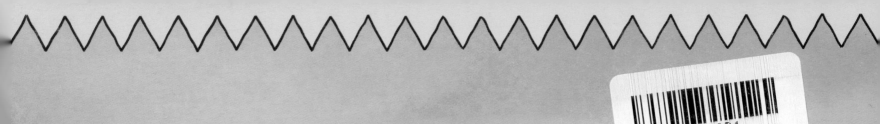

Não quero ficar gripada!

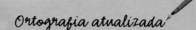

Ortografia atualizada

Esta obra foi publicada originalmente em inglês com o título I DON'T WANT A COLD!
por Andersen Press Ltd
Licença por The Illuminated Film Company.
Baseado na série de desenho animado LITTLE PRINCESS
© The illuminated Film Company 2007
Produção autorizada por Andersen Press Ltd, Londres
"Não quero ficar gripada!" ("I don't want a cold!") episódio escrito por Cas Willing
Produtor: Iain Harvey. Diretor: Edward Foster
© The Illuminated Film Company / Tony Ross 2007
Design e layout © Andersen Press Ltd 2007
Copyright © 2009, Editora WMF Martins Fontes Ltda., São Paulo, para a presente edição.

1ª edição 2009

Tradução *ANDRÉA STAHEL M. DA SILVA*

Acompanhamento editorial *Luzia Aparecida dos Santos*
Revisões gráficas *Thelma Batistão, Márcia Leme*
Edição de arte *Katia Harumi Terasaka*
Produção gráfica *Geraldo Alves*
Paginação *Moacir Katsumi Matsusaki*
Impressão e acabamento *Yangraf Gráfica e Editora*

Dados Internacionais de Catalogação na Publicação (CIP)
(Câmara Brasileira do Livro, SP, Brasil)

Ross, Tony
  Não quero ficar gripada! / Tony Ross ; tradução Andréa
Stahel M. da Silva. – São Paulo : Editora WMF Martins
Fontes, 2009.

  Título original: I don't want a cold
  ISBN 978-85-7827-194-7

  1. Literatura infanto-juvenil I. Título.

09-09609   CDD-028.5

Índices para catálogo sistemático:
1. Literatura infantil   028.5
2. Literatura infanto-juvenil   028.5

Todos os direitos desta edição reservados à
Editora WMF Martins Fontes Ltda.
Rua Conselheiro Ramalho, 330 01325-000 São Paulo SP Brasil
Tel. (11) 3293.8150 Fax (11) 3101.1042
e-mail: info@wmfmartinsfontes.com.br http://www.wmfmartinsfontes.com.br

Não quero ficar gripada!

Tony Ross

Tradução: Andréa Stahel M. da Silva

wmf **martinsfontes**

SÃO PAULO 2009

O sol brilhava quando o galo cantou de manhã, mas todos no castelo ainda estavam dormindo. Todos, menos a Princesinha.

– Vou precisar do chapéu e dos óculos escuros – ela disse, com uma risadinha.

Era dia do piquenique real e a Princesinha estava muito alvoroçada. Ela começou a encher a boia quando...

– **Aa-tchim!**

A Princesinha deu um espirro tão forte que a boia saiu voando pelo quarto.

– **Acordem!** É o dia do piquenique! – a Princesinha gritou e entrou correndo no quarto dos pais. O Rei e a Rainha acordaram e esfregaram os olhos.

– **Aa-tchim!** – espirrou a Princesinha.

Durante o café da manhã, ela continuou a espirrar.

– Podemos ir agora? – perguntou a Princesinha.

– Calma, querida – bocejou a Rainha. – Ainda não acabei...
argh!

O Rei apontou para o nariz da filha, que estava escorrendo.

– Assoe, filhinha.

O *Chef* e a Aia estavam sorvendo
uma deliciosa xícara de chá na
cozinha do castelo.

– HORA DO
PIQUENIQUE! –
berrou a Princesinha.
A Aia engasgou com o chá
e foi arrumar as coisas.

– Hoje é o melhor dia da minha vida! – e a Princesinha foi saindo, com um sorriso largo. Toda a casa real ia atrás dela, carregando cestos, toalhas e comida para o piquenique.

Para fazer o piquenique, a Princesinha escolheu um lugar às margens da lagoa real.

– Posso entrar agora?

A Aia concordou. A Princesinha correu para a água.

– Coooooofffffff!

O Rei e a Rainha engoliram seus bolinhos confeitados e se entreolharam. Espirros, o nariz escorrendo, e agora tosse...

– É malária! –

urrou o Almirante.

A Aia tirou a Princesinha da água.
Imediatamente, embalaram as coisas do piquenique
e todos voltaram para o castelo.
A Princesinha estava furiosa.
– Mas eu quero brincar na água!

– Princesinhas doentes não podem brincar na água.

– Não estou doente – contestou a Princesinha.

– Aa-tchiimm!

A Aia franziu as sobrancelhas.

– Cubra a boca quando espirrar, para não espalhar esses germes horríveis.

A Médica auscultou o peito da Princesinha.

– A Princesinha pegou um resfriado – ela comunicou.

– Por que se chama resfriado se estou me sentindo
tão quente? – perguntou a Princesinha.

– Ela tem de ir para a cama – continuou a Médica –
e ficar de repouso.

A Princesinha foi para a cama sem nem almoçar.
– Nada de se levantar – lembrou o Rei.
O dia de piquenique da Princesinha
estava sendo um fracasso total.

No dia seguinte de, manhã, a Princesinha ainda estava muito resfriada.
Ela tossia, fungava e espirrava o tempo todo.
À tarde, a Princesinha já não tinha mais nada para espirrar.
– Agora tenho espaço para um pouco de comida – ela declarou. – Estou COM FOME!

– A Princesinha está com fome! – gritou a Aia, correndo para
a cozinha.

O *Chef* beijou as pontas dos dedos com deleite.

– Tenho a coisa perfeita para ela!

A Princesinha ficou horrorizada.
– O que é isso?
– Caldo – respondeu a Aia.
– Não quero caldo, quero um
piquenique – a Princesinha
fechou a cara.
Mas ela estava com tanta fome que
comeu mesmo assim. A Princesinha
estava com muita pena de si mesma.

Enquanto ela estava enfiada na cama, lá fora, no jardim, todos se divertiam.

– Não tem graça ficar doente – lamentou ela.

– Já sei! – gritou a Princesinha. – Vou fazer um piquenique na cama!

Ela esticou as cobertas e pegou os brinquedos que estavam embaixo da cama. Ajeitou e enfileirou todos eles em torno de um lenço de bolinhas, que servia de toalha de piquenique.

– Esta é a Mamãe – anunciou –, e este é o Papai.

A Princesinha deu uma risadinha e enfiou seu chapéu de sol na cabeça do Fido.
– Eu sou eu e este é o Almirante.
Agora só faltava o seu jogo de chá, mas estava muito longe e ela não conseguia alcançá-lo.

A Princesinha inclinou-se na cama e começou a procurar seu guarda-chuva. Era exatamente o que ela precisava para fisgar o carrinho de bonecas! Ela entrou no carrinho e saiu rodando pelo quarto.

– Princesinha! –

chamou uma voz firme atrás dela.

A Princesinha se virou e viu a Médica na porta do quarto, junto com toda a casa real.

– Eu não encostei o pé no chão – disse a Princesinha.

– Não estou mais resfriada – afirmou a Princesinha. – É o Pipo que está.

– Gatos não pegam resfriado de gente – disse a Médica.

A Princesinha pôs as mãos na cintura.

– Não estou resfriada.

A Médica ficou auscultando um tempão com o estetoscópio. Todo o mundo prendeu a respiração

– Tem razão – ela disse, finalmente. – Seu resfriado passou.

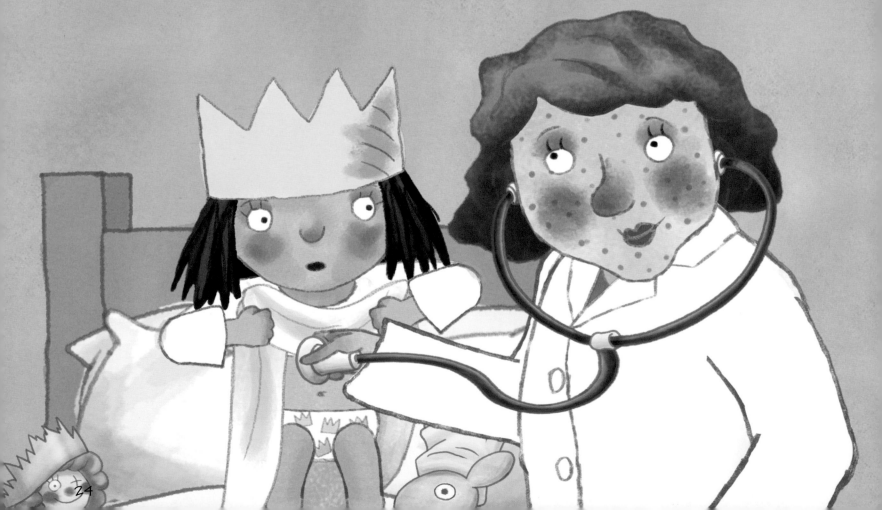

A Princesinha bateu palmas.

– Oba! Podemos fazer nosso piquenique!

– ela guinchou.

Todos saíram de novo, levando as coisas do piquenique.
A Princesinha, alvoroçada, enfiou as boias nos braços e
correu para a lagoa.

– Aa-tchim! – espirrou a Aia.

A Princesinha parou na mesma hora.

– Aa-tchim! – espirraram o Rei e a Rainha.

– Aa-tchim! – espirrou o General. E o *Chef*.

E também o Primeiro-Ministro. E nem o Almirante escapou.

A Princesinha se surpreendeu:

– Todos vocês estão doentes!

Ninguém disse uma palavra.

– Todos para a cama! – ela gritou, expulsando-os.

O Rei embirrou: – Não é justo.

A Princesinha foi na frente, caminhando para o castelo,
enquanto os adultos iam tossindo e fungando atrás dela.
– Vamos, Mamãe. Vamos, Papai. Nada de piqueniques!

O piquenique acabou antes mesmo de começar, mas a Princesinha não estava nem um pouco desapontada. Agora era ela que estava no comando.

– Isso é muito mais divertido – ela sorriu, satisfeita, dando ao General uma bolsa de água quente.

O *Chef* se enrolou no cobertor e começou a sair furtivamente da sala.

– Ei! – chamou a Princesinha. – Nem pense em se levantar...

... um caldo está esperando por vocês!